坚固的岩石

撰文：〔美〕瑞纳·考博
绘画：〔美〕布兰顿·雷贝灵
翻译：孙　健

山东科学技术出版社

图书在版编目（CIP）数据

坚固的岩石／撰文［美］瑞纳·考博；绘画［美］布兰顿·雷贝灵；翻译 孙健 .—济南：山东科学技术出版社，2012

（神奇的科学系列丛书）

ISBN 978-7-5331-5846-0

Ⅰ.①坚 ... Ⅱ.①瑞 ... ②布 ... ③孙 ... Ⅲ.①常识课—学前教育—教学参考资料 Ⅳ.①G613.3

中国版本图书馆 CIP 数据核字（2012）第 001122 号

Radical Rocks

Published by Magic Wagon, a division of the ABDO Publishing Group, 8000 West 78th Street, Edina, Minnesota, 55439.Copyright © 2008 by Abdo Consulting Group, Inc. All rights reserved.

图字：15-2011-223

神奇的科学系列丛书

坚固的岩石

撰文　［美］瑞纳·考博
绘画　［美］布兰顿·雷贝灵
翻译　孙　健

出版者：山东科学技术出版社
地址：济南市玉函路 16 号
邮编：250002　电话：(0531)82098088
网址：www.lkj.com.cn
电子邮件：sdkj@sdpress.com.cn

发行者：山东科学技术出版社
地址：济南市玉函路 16 号
邮编：250002　电话：(0531)82098071

印刷者：济南鲁艺彩印有限公司
地址：济南工业北路182-1号
邮编：250101　电话：(0531)88888282

开本：889mm×889mm 1/16
印张：2
版次：2012 年 3 月第 1 版第 1 次印刷

ISBN 978-7-5331-5846-0
定价：9.80 元

目 录

岩石的世界

什么是岩石？

是你在河水里踩着走过去的那些鹅卵石吗？

是你在街边踢过的小石子吗？

是你爬上去玩耍过的大石块吗？

前面问到的所有这些都属于岩石，
但岩石还远不止这些。

地球几乎都是由岩石组成的。地球的表面覆盖着植物、水和土壤。如果你往地下挖得够深，就会碰到坚硬的岩石。

你知道陨石吗？有些岩石是从太空坠落到地球上的。

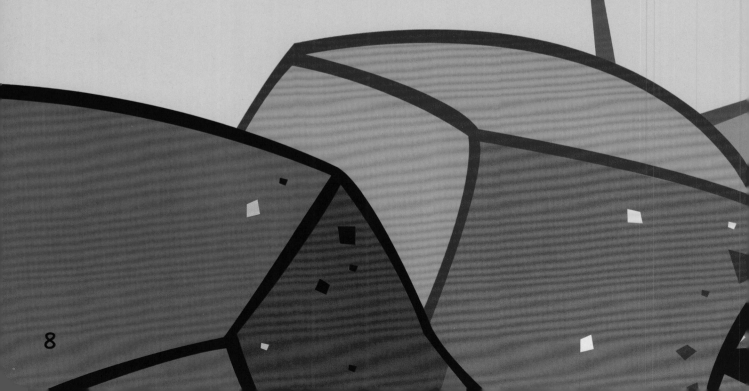

多彩的矿物质

凑近点仔细看看花岗石，是不是看到它布满了灰色、红色和绿色的斑点？这些颜色中的每一种都来自不同的矿物质。

矿物质是组成岩石的基本成分。

并不是所有的岩石看上去都是斑斑点点的。岩石中的矿物质颗粒通常是很小的，它们完全混合在一起，你需要用放大镜来观察不同的颜色。

9

岩石的三大种类

岩石共分三大种类：火成岩、沉积岩和变质岩。这些岩石以不同的形式存在着。

1st 岩石种类。

火成岩

沉积岩

玄武岩

砂页岩

变质岩

大理石

11

想象一下，向地球深处挖一个洞，你会发现那里由非常热，甚至岩石都被熔化了。

熔化的岩石叫做岩浆。这些滚烫、黏稠的液体冷却后就变成了火成岩。

火成岩就是第一类岩石，有些火成岩的年龄差不多有四百万年了。

岩浆顺着地球内部的裂缝涌上来。当岩浆冷却后，它就变硬了。

有时候，岩浆还在地下时，就已经变成了坚硬的石头。

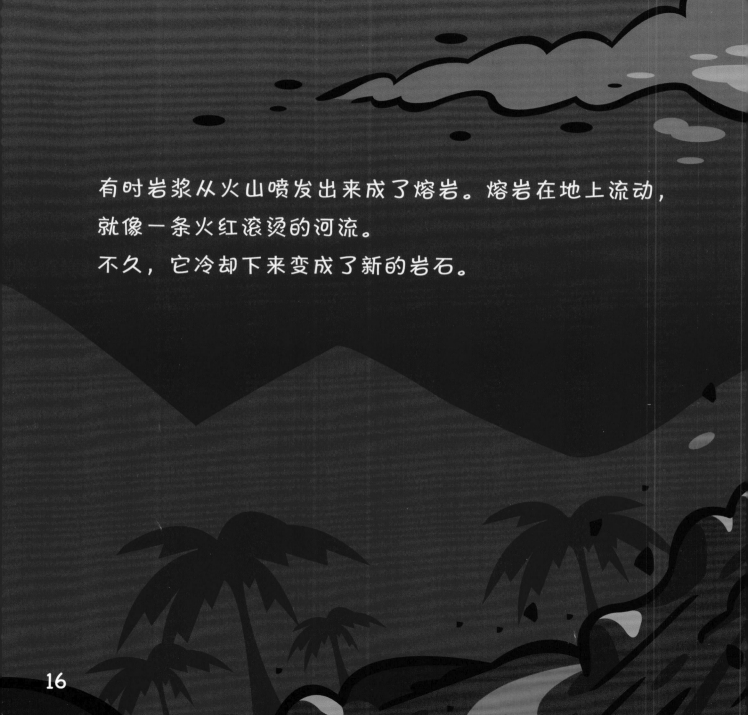

有时岩浆从火山喷发出来成了熔岩。熔岩在地上流动，就像一条火红滚烫的河流。

不久，它冷却下来变成了新的岩石。

沉积岩

沉积岩是在地面上形成的，而不是在地下。

风、水和冰不断侵蚀巨大岩石的表面。一点一点，岩石破碎成了微小的碎屑。这些岩石碎屑叫做沉积物。

后来沉积物就在地面、河底与海底
堆积起来。
更多的岩石破碎了，于是一层层的
沉积物堆积在了一起。

有时还会有某种动物或者植物被包裹在沉积物里面，后来就在沉积岩之中形成了化石。

顶上的岩层压着底下的岩层，因此沉积物就粘在了一起。
几百万年之后，原来的那些岩石碎屑又变成了一大块岩石。

美国的科罗拉多大峡谷就是由被称为砂页岩
的沉积岩组成的，它的悬崖地带全都暴露着岩石
的断层，年头最久远的岩层被压在最下面。

变质岩

当岩石被埋在地下时，原来的某些岩石会变成新的岩石品种。地球内部的热量会使那些组成岩石的矿物质发生改变。或许在地球运动时，岩石还会受到挤压变形。

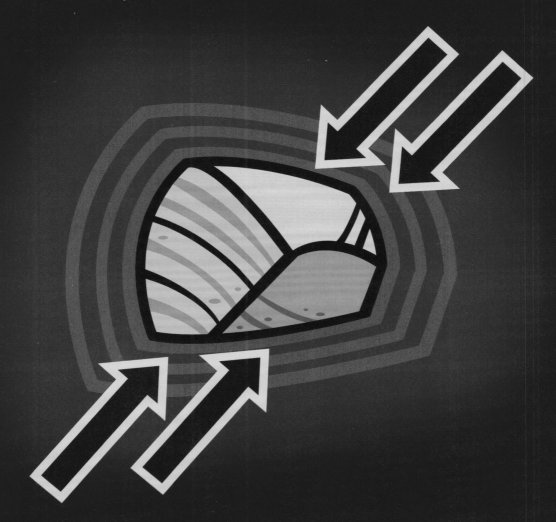

这些新的岩石品种就叫做变质岩。

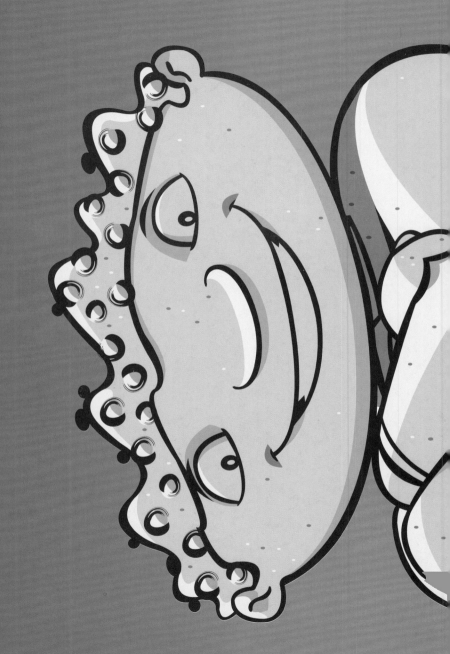

有用的岩石

这些岩石在方方面面影响着人们的生活。

艺术家把光滑的大理石凿成了雕像。

石灰石被压成粉末生产出了水泥。

钻石和红宝石变成了闪闪发亮的美丽珠宝。

26

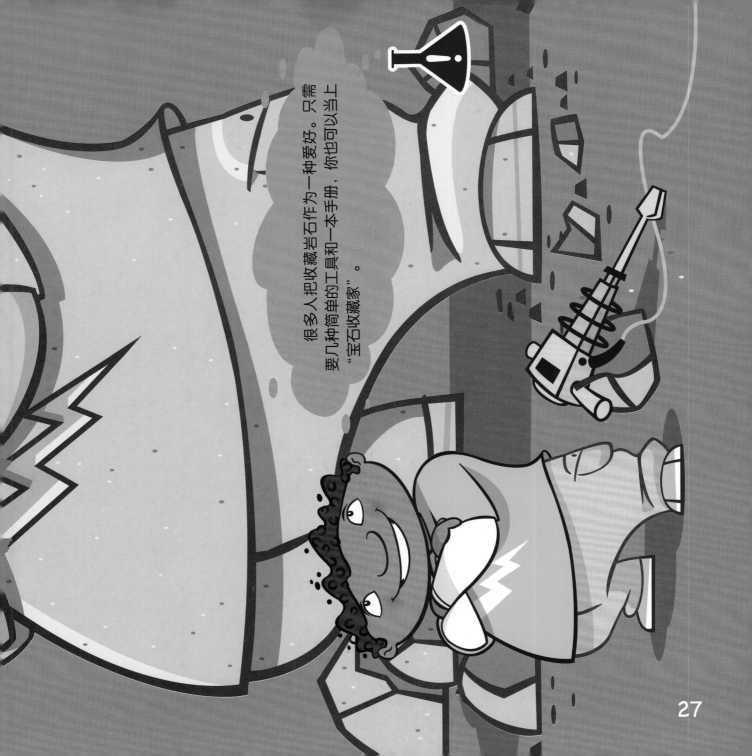

很多人把收藏岩石作为一种爱好。只需要几种简单的工具和一本手册，你也可以当上"宝石收藏家"。

看一下你的周围。在哪里能看到天然的岩石？人们是怎样使用岩石的？你会惊奇地发现，光是岩石的品种就数不胜数。

实践活动我来做

为岩石称重

准备事项：

一块浮石（可以从足部护理店、药店或者土产店买到）。

几块普通石块，个头要比浮石小一些（可以在户外捡到）。

天平（可选用称重范围稍大一些的天平）。

纸。

铅笔。

操作步骤：

1. 先称出一块石头的重量。

2. 在纸上记录下石头的重量并编上号。

3. 重复前两个步骤，把剩下的石块都称完。

4. 看一下结果吧，哪一块最重啊？是不是个头最大的那一块呢？

知识趣闻我知道

沙粒是岩石的细小碎末，而土壤最主要的成分就是更细小的岩石碎末。

你知道我们每天吃进身体中的一种矿物质吗？那就是盐，盐是从沉积岩中发现的最重要的矿物质。

钻石是世界上最坚硬的矿物质，而黄金则是非常软的矿物质，铅笔中的灰色"铅芯"实际上是由一种叫做石墨的矿物质制成的。

浮石是唯一能漂浮起来的一种石头，它是由熔岩转变而成的，由于熔岩冷却太快，在石头内部留下了大量的气泡，这些气泡把浮石变得非常轻了，轻得可以漂浮起来。

地理学家专门研究岩石，就是为了探明地球几十亿年来是怎样变化的，而且还要探明地球是怎样形成的。

新书推荐

马蒂教你控制坏脾气

最受美国父母喜爱的**情商培养**绘本

北美地区最畅销的儿童绘本故事书